Die schönsten
Engelsbotschaften

ars≡dition

$\mathcal{J}$nhaltsverzeichnis

Einleitung

Ein unbestimmtes Gefühl,
die Sehnsucht nach etwas
Stärkerem und das Verlangen nach Geborgenheit in
unserer Welt wecken die
Hoffnung, dass es Engel
gibt, und lassen uns darauf
vertrauen, dass sie bei uns
sind. Engel sind ganz
wunderbare Wesen, die
uns begleiten, wenn wir
Freude empfinden, Trost
benötigen oder innerer
Stärkung bedürfen. Dann
spüren wir sie – eine ganz
besondere Kraft. Können
wir Engel auch sehen?
Wer weiß, vielleicht begegnen wir ihnen jeden Tag.

Engels-
botschaften
des
Schutzes

Schutz

Der Engel Gottes
sei vor dir, um
dir den rechten
Weg zu zeigen.
Der Engel Gottes
sei neben dir,
um dich in die
Arme zu schließen
und dich
zu schützen.

Irischer Segenswunsch

Der Wunsch unseres
Schutzengels,
uns zu helfen,
ist weit größer
als der Wunsch,
den wir haben,
uns von ihm
helfen zu lassen.

Don Bosco

So lasset uns denn, Brüder, Gottes Engel innig lieben. Sie werden einst unsere Miterben sein. Auch unsere Führer und Schützer – vom Vater eingesetzt und für uns bestimmt. Sie führen uns auf all unseren Wegen. Sie können nicht irregeführt werden noch selber in die Irre gehen. Sie sind treu, klug und mächtig.

Bernhard von Clairvaux

*E*ngel schweben
herab und
bringen vom
Himmel das Echo
der Gnade und
das Geflüster
der Liebe.

Fanny J. Crosby

$\mathcal{V}$ertrauensselig –
ein schönes Wort.
Vertrauen macht
selig den, der
es hat, und den,
der es einflößt.

Marie von Ebner-Eschenbach

*I*ch werde einen
Engel schicken,
der dir vorausgeht.
Er soll dich auf
dem Weg schützen
und dich an den
Ort bringen, den
ich bestimmt habe.
Achte auf ihn
und höre auf
seine Stimme.

Exodus

*D*ie Schutzengel
des Lebens
fliegen manchmal
so hoch, dass
wir sie nicht
sehen können,
aber sie schauen
immer auf uns
herunter.

Jean Paul Richter

$\mathcal{M}$öge dich in
allen Zeiten
deines Lebens
dein persönlicher
Schutzengel
begleiten
und dir das
Gefühl schenken,
dass du beschützt
und behütet bist.

Irischer Segenswunsch

*W*enn alle Türen
und die Fenster
verdunkelt sind,
darfst du
nicht glauben,
allein zu sein.
Denn Gott ist
bei dir und dein
Schutzengel.
Und weshalb
sollten sie
Licht brauchen,
um zu sehen,
was du tust?

Epiktet

Nicht immer,
wenn du die Engel
rufst, werden
sie kommen
und dir helfen.
Aber sie werden
immer kommen,
wenn du sie
wirklich brauchst.

Klara Löwenstein

*M*öge der Himmel
dich bewahren
vor Gefahren,
Schmerz und Pein.
Möge stets ein
guter Engel
deines Lebens
Hüter sein.

Segenswunsch aus Deutschland

*M*it seinem Fittich
bedeckt er dich
und unter
seinen Flügeln
findest du Zuflucht.

Psalm 91,4

*E*iner, der uns
sehr nüchtern nach
unserem Woher
und Wohin fragt
und uns sehr
gegen unseren
Willen dahin
zurückschickt,
wo wir eben
davonlaufen
wollen, kann
ein Bote Gottes,
ein Engel sein.

Sören Kierkegaard

*W*ir können die Engel
nicht sehen.
Aber es ist genug,
dass sie uns sehen.

Charles Haddon Spurgeon

Gleich von Geburt
an begleitet
einen jeden
ein Schutzgeist,
der unbemerkt
sein Leben leitet.

Menander

*E*in Engel ist
nichts anderes
als die Idee Gottes.

Meister Eckhart

*W*as der Menschheit
unmöglich ist,
vermag die Macht
und die Kraft
der Engel
zu vollbringen.

Joseph Glanvill

*W*o Engel hausen,
da ist der Himmel,
und sei's auch
mitten im
Weltgetümmel.

Hafis

*L*ege die Hand in
die Hand deines
persönlichen
Schutzengels.
Zu zweit lässt sich
jeder Weg leichter
beschreiten.

Stella Jacoby

*M*anchmal fühlt
ein Mensch sich
außerstande, sein
Leben neu zu
gestalten. Er findet
die Kraft jedoch
wieder, sobald er
sich vom fröhlichen
Engel des Lebens
leiten lässt.

Mathilde von der Au

*W*enn man ganz
leise ist und die
Augen schließt,
dann spürt man
seine Nähe –
den Schutzengel,
der uns
nie verlässt.

Klara Löwenstein

*M*ache dich mit
Engeln vertraut
und betrachte sie
oft im Geiste;
denn auch wenn
man sie nicht sieht,
sind sie doch
bei dir.

Franz von Sales

*B*leibt, ihr Engel,
bleibt bei mir!
Führet mich auf
beiden Seiten,
dass mein Fuß
nicht möge gleiten.
Aber lernt mich
auch allhier
euer großes Heilig
singen und dem
Höchsten Dank
zu bringen.

Johann Sebastian Bach

Engel und
Diener der Gnade
schützen uns.

William Shakespeare

*E*in Engel ist
dein Begleiter
in hellen wie in
dunklen Stunden.

Oskar Paulus

Die Welt hat allzu
wenig Engel und
der Himmel fließt
von ihnen über.

Samuel Taylor Coleridge

*E*ine Seele ist nie
ohne Geleit der
Engel, wissen doch
diese erleuchteten
Geister, dass
unsere Seele
mehr Wert hat als
die ganze Welt.

Bernhard von Clairvaux

Liebe und
Geborgenheit
halten schützend
ihre Flügel
über dich.

Rita Tomasetti

*E*s muss Herzen
geben, welche die
ganze Tiefe unseres
Wesens kennen
und auf uns
schwören, selbst
wenn die ganze
Welt uns verlässt.

Karl Gutzkow

Es tut gut, an
Schutzengel zu
glauben. Einfach
zu wissen, dass da
etwas ist, was uns
behütet und uns nie
im Stich lässt,
wenn wir uns von
aller Welt verlassen
fühlen. Lassen
wir die Engel
in unser Herz.

Ella Dumont

*J*eder, der mit
einer Mission
betraut ist,
ist ein Engel.
Alle Kräfte,
die in einem
Körper wohnen,
sind Engel.

Moses Maimonides

*Im festen Glauben,
immer einen treuen
unsichtbaren
Begleiter an
deiner Seite zu
haben, wirst du
deine Hoffnung
nie verlieren.*

Mathilde von der Au

Lass die Engel
bei uns wachen,
dass wir wie die
Kinder lachen,
dass wir wie die
Kinder weinen,
lass uns alles sein,
nichts scheinen.

Joseph von Eichendorff

*E*r schläft nicht,
man täuscht ihn
nicht, den edlen
Schützer eines
jeden von uns.
Schließe deine Tür
und mache dunkel,
aber erinnere dich,
dass du niemals
allein bist.

Epiktet

Jedem steht ein
Engel zur Seite,
wenn wir ihn nicht
durch unsere bösen
Werke vertreiben.
Der Engel behütet
dich von allen
Seiten und lässt
nichts unbeschützt.

Hl. Basilius

*S*uche Schutz
bei deinen Engeln,
sie empfangen
dich mit Freude.

Rita Tomasetti

*L*eb so, dass, wenn
du strauchelst,
Engelshand dich
führen mag
zum Ziel, das dir
entschwand.

Hafis

Die Engel zeigen sich in schweren Krisen, bei unerträglichem Leid und bei Absichten, die Mitgefühl zeigen.

Ralph Waldo Emerson

*W*ir leben nicht nur unter Menschen, sondern auch mit himmlischen Geschöpfen, die uns verständnisvoll über die Schulter schauen, die unsere Gedanken, Gefühle und Taten sehen, kennen und verstehen.

Henry Ward Beecher

Engels-
botschaften
der inneren
Stärke

Innere Stärke

Das Paradies
auf Erden ist dort,
wo ich bin.

Voltaire

*W*as der Menschheit
unmöglich ist,
vermag die Macht
und die Kraft
der Engel
zu vollbringen.

Joseph Glanvill

Nachdenken:
Es enthält eine
unerschöpfliche
Quelle von Trost
und Beruhigung.

Novalis

*E*in Engel ist
nichts anderes
als die Idee Gottes.

Meister Eckhart

$\mathcal{D}$ie Ruhe ist
die natürliche
Stimmung eines
wohl geregelten,
mit sich einigen
Herzens.

Wilhelm von Humboldt

Drei Engel mögen
dich begleiten
in deiner ganzen
Lebenszeit,
und die drei Engel,
die ich meine,
sind Liebe, Glück,
Zufriedenheit.

Segenswunsch

Die Bescheidenheit glücklicher Menschen kommt von der Ruhe, welche das Glück ihren Gemütern verleiht.

François de la Rochefoucauld

Nur wenn sie zum
Himmel fliegen,
treten Engel
in Erscheinung.

Robert Browing

*E*in einziger
Grundsatz wird
dir Mut geben,
nämlich dass
kein Übel ewig
währt, ja nicht
einmal sehr lange
dauern kann.

Epikur

*F*est und stark
ist nur der Baum,
der unablässig
Winden ausgesetzt
war, denn im
Kampf festigen und
verstärken sich
seine Wurzeln.

Seneca

*E*ngel können
fliegen, weil sie
sich selbst nicht zu
schwer nehmen.

Weisheit aus Schottland

*B*eginnen
ist Stärke,
Vollendenkönnen
ist Kraft.

Johann Wolfgang von Goethe

$\mathcal{D}$ie schönste
Frucht der
Selbstgenügsamkeit
ist die Freiheit.

Epikur

*S*ei, was du bist!
Deine wahre Natur
ist Kraft.

Swami Vivekananda

Man muss
im Ganzen an
jemanden glauben,
um ihm im
Einzelnen
wahrhaft Zutrauen
zu schenken.

Hugo von Hofmannsthal

Nicht jeder, der
von einem Engel
erleuchtet wird,
erkennt, von wem
er erleuchtet wird.

Thomas von Aquin

*Jeder Tag ist
ein neuer Anfang.*

George Eliot

*M*an muss beides
verbinden und
miteinander
abwechseln lassen,
Einsamkeit und
Geselligkeit.
Die eine weckt in
uns die Sehnsucht
nach Menschen,
die andere die
Sehnsucht nach
uns selbst.

Seneca

*E*in jedes Band,
das noch so
leise die Geister
aneinander reiht,
wirkt fort auf seine
stille Weise durch
unberechenbare
Zeit.

August von Platen

*F*inde dein Glück
im Gleichgewicht
deiner Seele.

Viktor Levin

Dem abgestumpften
Geist erscheint
die gesamte Natur
bleiern. Für den
erleuchteten Geist
brennt und funkelt
die ganze Welt
dank ihres Lichts.

Ralph Waldo Emerson

Nichts Größeres
kann ein Mensch
schenken als sein
ganzes Vertrauen.
Keine Gabe erhöht
so sehr den Geber
und Empfänger.

Henry David Thoreau

Die wahre
Vollendung
des Menschen
liegt nicht in dem,
was er besitzt,
sondern in dem,
was er ist.

Oscar Wilde

*G*eborgenheit
ist freilich ein
stärkeres Wort
für Glück.

Johann Wolfgang von Goethe

*Jeder Mensch
hat seinen Engel.*

Rudolf Steiner

*E*in angenehmes
und heiteres Leben
kommt nicht von
äußeren Dingen.
Nur aus seinem
Inneren bringt
der Mensch Lust
und Freude
in sein Leben.

Plutarch

Nichts ist
beneidenswerter
als eine Seele,
die schwärmen
kann. Schwärmen
ist fliegen,
eine himmlische
Bewegung
nach oben.

Theodor Fontane

*W*enn ein Wunder
in der Welt
geschieht, geschieht
es durch liebevolle,
reine Herzen.

Johann Wolfgang von Goethe

*W*enn es einen
Glauben gibt,
der Berge versetzen
kann, so ist es
der Glaube an
die eigene Kraft.

Marie von Ebner-Eschenbach

$\mathcal{F}$reude ist das
mächtigste
Stärkungsmittel.

Herbert Spencer

*D*er Himmel ist
in dir.

Angelus Silesius

 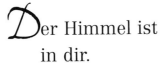

*W*ie schnell
zerstreuen sich
Unrast und
Verzweiflung
in der Stille
der Natur.

Lion Feuchtwanger

Glaube mir:
In allem, was wir
eine Versuchung,
ein Leid oder eine
Pflicht nennen,
ist die Hand eines
Engels im Spiel.

Fra Giovanni

*W*arten gibt Stärke;
Warten bringt
die jungen Trauben
zur Reife und
wandelt, was nur
sprossender Keim
war, zu kraftvoller
Saat.

Ovid

*L*ass die Welt
ihren Gang gehn,
wenn er nicht
aufgehalten
werden kann,
wir gehen unsern.

Friedrich Hölderlin

*E*s gehört
mehr Kraft
zum Leiden
als zum Tun,
mehr Stärke
zum Entbehren
als zum
Genießen.

Theodor Gottlieb von Hippel

$\mathcal{V}$ersuchen wir
uns doch einmal
entschieden auf
die Seite des
Positiven zu stellen,
in jeder Sache.

Christian Morgenstern

*Jeder Morgen –
jeder Abend
schenkt uns Kraft,
man muss nur
die Schönheit
des Lebens
in vollen Zügen
genießen.*

Stella Jakoby

Das Leben leicht
tragen und tief
genießen ist ja
doch die Summe
aller Weisheit.

Wilhelm von Humboldt

Engels-
botschaften
der
Gesundheit

Gesundheit

Der Glaube
an unsere Kraft
kann sie ins
Unendliche
verstärken.

Friedrich Schlegel

Sorge nicht um das,
was kommen wird,
weine nicht um
das, was vergeht:
Aber sorge, dich
selbst zu verlieren,
und weine, wenn
du dahintreibst
im Strom der Zeit,
ohne den Himmel
in dir zu tragen.

Friedrich Schleiermacher

*E*ngel spenden Trost
in der Not und
geben Kranken
neuen Lebensmut.
Nicht selten
schlüpfen sie
in einen unserer
Mitmenschen.
Hör auf dein Herz
und du wirst
sie erkennen.

Marja Markow

*I*llusionen sind
die Schmetterlinge
des Lebensfrühlings.

Peter Sirius

*W*er Vertrauen hat,
erlebt jeden Tag
Wunder.

Epikur

Der Schmerz ist
ein heiliger Engel,
und durch ihn
sind Menschen
größer geworden
als durch alle
Freuden der Welt.

Adalbert Stifter

Die größten
Ereignisse,
das sind nicht
unsere lautesten,
sondern unsere
stillsten Stunden.

Friedrich Nietzsche

*F*ür keinen ist es
zu früh oder
zu spät, für die
Gesundheit der
Seele zu sorgen.

Epikur

*A*m Himmel
geschehen Zeichen
und Wunder.

Friedrich Schiller

*W*elches auch
die Gaben sein
mögen, an denen
du dich erfreust:
Erfreue dich!

Ovid

*A*n sich ist
Müßiggang
durchaus nicht
die Wurzel allen
Übels, sondern
ist im Gegenteil
ein geradezu
göttliches Leben.

Sören Kierkegaard

*W*o Blumen blühen,
lächelt die Welt.

Ralph Waldo Emerson

Schmerz und Freude
liegen in einer
Schale; ihre
Mischung ist
des Menschen Los.

Johann Gottfried Seume

*W*ohin mein Weg
mich führen mag,
der Himmel
ist mein Dach,
die Sonne kommt
mit jedem Tag,
die Sterne
halten wach.

Joseph von Eichendorff

Die Gaben der Natur
und des Glücks
sind nicht so selten
wie die Kunst,
sie zu genießen.

**Marquis Clapiers de
Vauvenargues**

*D*ie Sonne scheint
jeden Tag neu.

Heraklit

*Glücklich allein
ist die Seele,
die liebt.*

Johann Wolfgang von Goethe

*D*ie beste Wärterin
der Natur ist Ruhe.

William Shakespeare

*W*as der Menschheit
unmöglich ist,
vermag die Macht
und die Kraft
der Engel
vollbringen.

Joseph Glanvill

Die Gegenwart
ist die Zeit,
die uns wirklich
gehört.

Blaise Pascal

*S*onne kann nicht
ohne Schein,
Mensch nicht
ohne Liebe sein.

Johann Wolfgang von Goethe

*F*reuden sind
unsere Flügel,
Schmerzen
unsere Sporen.

Jean Paul

*E*in Wort,
geredet
zu seiner Zeit,
ist wie
goldene Äpfel
auf silbernen
Schalen.

Salomo

*D*ie Freude ist
überall. Es gilt nur,
sie zu entdecken.

Konfuzius

$\mathcal{D}$ie Hoffnung ist
das einzige Gut,
das allen Menschen
gemein ist.

Thales von Milet

*E*in fröhliches Herz
lebt am längsten.

William Shakespeare

Zu geben ist
ein Vergnügen,
das länger
andauert als
zu nehmen.

Nicolas de Chamfort

*G*ib jedem Tag
die Chance,
der schönste
deines Lebens
zu werden.

Mark Aurel

*F*reundschaft
verstärkt das Glück
und lindert
das Elend,
sie verdoppelt
unsere Freude
und halbiert
unsere Schmerzen.

Joseph Addison

Das beste Mittel,
den Tag zu
beginnen, ist:
beim Erwachen
daran denken,
ob man nicht
wenigstens einem
Menschen an
diesem Tag eine
Freude machen
könnte.

Friedrich Nietzsche

Der Himmel hat
dem Menschen
als Gegengewicht
gegen die vielen
Mühseligkeiten
drei Dinge gegeben:
die Hoffnung,
den Schlaf und
das Lachen.

Immanuel Kant

$\mathcal{G}$esundheit
ist die erste Pflicht
im Leben.

Oscar Wilde

Die Sonne ist die Universalmedizin aus der Himmelsapotheke.

August von Kotzebue

$\mathcal{D}$ie größte und
einzige Aufgabe
ist es, glücklich
zu leben.

Voltaire

$\mathcal{G}$eduld ist aller
Schmerzen Arznei.

Publius Syrus

$\mathcal{D}$ie beste Freude:
das Wohnen
in sich selbst.

Johann Wolfgang von Goethe

*H*eilung bedeutet,
dass der Mensch
erfährt, was ihn
trägt, wenn alles
andere aufhört,
ihn zu tragen.

Wolfram von Eschenbach

Engels-
botschaften
des
Trostes

Trost

$\mathcal{W}$enn du
die Hoffnung
nicht aufgibst,
werden dir
Engel bald
mit unendlicher
Freude huldigen.

Klara Löwenstein

*T*raurig sein ist
etwas Natürliches.
Es ist wohl
ein Atemholen
zur Freude.

Paula Modersohn-Becker

*E*ine Kleinigkeit
tröstet uns,
weil eine
Kleinigkeit
uns betrübt.

Blaise Pascal

*G*laube mir,
die Zeit wird
kommen, in der du
deine Hoffnung
erfüllt siehst!

Stella Jakoby

Freu dich
in jeder Nacht,
dass Sterne
niederglänzen,
mit höherer
Hoffnung Strahl
dein Dasein
zu ergänzen.

Friedrich Rückert

*G*eduld ist die Kunst
zu hoffen.

Marquis de Vauvenargues

*M*it den Flügeln
der Zeit
fliegt die
Traurigkeit
davon.

Jean de la Fontane

Tröste dich,
die Stunden eilen,
und was all'
dich drücken mag,
auch das Schlimmste
kann nicht weilen
und es kommt
ein andrer Tag.

Theodor Fontane

*W*er sich nach
Licht sehnt,
ist nicht lichtlos,
denn die Sehnsucht
ist schon Licht.

Bettina von Arnim

*W*enn du
weinen kannst,
so danke Gott!

Johann Wolfgang von Goethe

Suche die Quelle,
die dir immer
wieder neue
Lebenskraft
schenken kann,
sie entspringt
tief in dir selbst.

Klara Löwenstein

*W*enn man auch
allen Sonnenschein
wegstreicht, so
gibt es doch noch
den Mond und die
hübschen Sterne
und die Lampe
am Winterabend.
Es ist so viel
schönes Licht
auf der Welt.

Wilhelm Raabe

*W*enn Engel
einen Menschen
beobachten,
der doch das Gute
ehrlich will trotz
seiner Schwachheit,
so kommen
sie eilig, um
weiterzuhelfen.

Sören Kierkegaard

Schlägt dir
die Hoffnung fehl,
nie fehle dir
das Hoffen!
Ein Tor ist zugetan,
doch tausend
sind noch offen.

Friedrich Rückert

*E*s gibt immer
wieder ein Morgen.

Arnold Böcklin

Lebe traurige
Momente bewusst,
so schöpfst du
Energie, um sie
zu überwinden.

Klara Löwenstein

Und Engel
treten leise aus
den blauen Augen
der Liebenden,
die sanfter leiden.

Georg Trakl

*W*as vermag uns
zu trösten in den
menschlichen
Beziehungen voller
Fehler und Mühsal
außer Treue
und gegenseitige
Zuneigung unter
wirklich guten
Freunden?

Ambrosius

*A*m Ende ist uns wohler, wenn wir nicht so viel von der Welt wollen und das, was sie uns freiwillig gibt, als gelegentlichen Fund betrachten.

Gottfried Keller

*W*enn ich meiner
Liebe und meiner
Seele frei wäre …
Nur Engel, die hoch
oben schweben,
genießen solche
Freiheit.

Richard Lovelace

*U*nter guten,
seelenvollen
Menschen trägt
sich die Last
des Lebens leicht.

Novalis

*W*enn du recht
schwer betrübt bist,
dass du meinst,
kein Mensch
auf der Welt
könnte dich trösten,
so tue jemand
etwas Gutes,
und gleich
wirds besser.

Peter Rosegger

*A*uch eine
schwere Tür
hat einen kleinen
Schlüssel nötig.

Charles Dickens

*A*lles Göttliche
auf Erden
ist ein Licht-
gedanke nur.

Friedrich Schiller

Ohne Freunde ist unser Leben kein richtiges Leben.

Dante Alighieri

Der Gedanke an
die Vergänglichkeit
aller irdischen
Dinge ist ein Quell
unendlichen Leids –
und ein Quell
unendlichen Trosts.

Marie von Ebner-Eschenbach

Die Sehnsucht
ist es, die unsere
Seele nährt, und
nicht die Erfüllung.

Arthur Schnitzler

*O*ft sind
Erinnerungen
ganz vortreffliche
Balancierstäbe,
mit welchen
man sich über
die schlimme
Gegenwart
hinwegsetzen kann.

Theodor Mundt

*E*s ist nicht so sehr
die Hilfe unserer
Freunde, die uns
hilft, als vielmehr
das vertrauensvolle
Wissen, dass sie
uns helfen werden.

Epikur

*W*ir werden
Frieden finden.
Wir werden den
Engeln lauschen
und den Himmel
sehen funkelnd
von Diamanten.

Anton Tschechow

*M*anches können
wir nicht verstehen.
Lebt nur fort, es
wird schon gehen.

Johann Wolfgang von Goethe

Die Engel schützen
uns vor dem,
was wir nicht
ertragen können.

Rudolf Steiner

*K*ein Sonnenstrahl
geht verloren.
Aber das Grün, das
er weckt, braucht
Zeit zum Sprießen.

Albert Schweitzer

*W*under geschehen
nicht im Wider-
spruch zur Natur,
sondern nur im
Widerspruch
zu dem, was uns
über die Natur
bekannt ist.

Hl. Augustinus

Trösten ist eine
Kunst des Herzens.
Sie besteht oft
nur darin, liebevoll
zu schweigen
und schweigend
mitzuteilen.

Otto von Leixner

Die größte
Offenbarung
ist die Stille.

Laotse

Der Menschen Engel
ist die Zeit.

Friedrich Schiller

*Jedes sichtbare Ding
auf dieser Welt
steht unter
der Obhut
eines Engels.*

Hl. Augustinus

*E*s verliert
die schwerste
Bürde die Hälfte
ihres Druckes,
wenn man von
ihr reden kann.

Jeremias Gotthelf

Engels-
botschaften
der
Freude

Freude

Die Stunde
ist kostbar.
Warte nicht
auf eine spätere,
gelegenere Zeit.

Katharina von Siena

*M*an kann die
seligsten Tage
haben, ohne etwas
anderes dazu
zu gebrauchen
als blauen Himmel
und grüne
Frühlingserde.

Jean Paul

*W*ie jeder
zu sich selbst,
so verhalte
er sich zu
seinem Freunde.

Aristoteles

$\mathcal{D}$ie Freude
steckt nicht
in den Dingen,
sondern
im Innersten
unserer Seele.

Theresia von Lisieux

Auch das ist Kunst,
ist Gottes Gabe,
aus ein paar
sonnenhellen Tagen
sich so viel Licht
ins Herz zu tragen,
dass, wenn
der Sommer
längst verweht,
das Leuchten
immer noch
besteht.

Johann Wolfgang von Goethe

Da wird es hell
in unserem Leben,
wo man für das
Kleinste danken
lernt.

Friedrich von Bodelschwingh

$\mathcal{E}$ngel sind reine
Gedanken Gottes,
beflügelt
von Wahrheit
und Liebe.

Mary Baker Eddy

Nur der mit
Leichtigkeit,
mit Freude und
Lust die Welt
sich zu erhalten
weiß, der
hält sie fest.

Bettina von Arnim

*Fröhlich sein,
Gutes tun
und die Spatzen
pfeifen lassen.*

Don Bosco

*V*on allen Dingen,
die das Glück
des Lebens
ausmachen,
schenkt die
Freundschaft
uns den größten
Reichtum.

Epikur

*H*offen heißt:
die Möglichkeit des
Guten erwarten.

Sören Kierkegaard

$\mathcal{I}$hr müsst Herzen
säen, wollt ihr
Herzen ernten.

Ludwig Börne

*W*er wagt,
durch das Reich
der Träume
zu schreiten,
gelangt zur
Wahrheit.

E.T.A. Hoffmann

Nur wer selber
ruhig bleibt, kann
zur Ruhestätte
all dessen werden,
was Ruhe sucht.

Laotse

*Jeder Tag ist
ein Geschenk
des Himmels
und birgt unendlich
viel verborgene
Schönheit in sich.*

Marja Markow

In jede hohe Freude
mischt sich
eine Empfindung
der Dankbarkeit.

Marie von Ebner-Eschenbach

*E*s ist der Engel
der Fröhlichkeit,
der uns glückliche
Stunde erleben
lässt und uns zeigt,
wie unbeschwert
das Leben
sein kann.

Klara Löwenstein

*A*lle Kunst
ist der Freude
gewidmet,
und es gibt
keine höhere und
keine ernsthaftere
Aufgabe, als
die Menschen
zu beglücken.

Friedrich Schiller

*I*hr Antlitz flammte
lebhaft, ihr
Gefieder war
lauteres Gold;
sonst waren
sie so weiß,
dass nie auf Erden
fällt solcher Schnee
hernieder.

Dante Alighieri

*D*as Glück
ist manchmal
auch ein
Augenblick
der Stille.

Roland Leonhardt

Der Heiterkeit
sollen wir,
wann immer
sie sich einstellt,
Tür und Tor öffnen;
denn sie kommt
nie zur
unrechten Zeit.

Arthur Schopenhauer

*W*irklich glücklich
ist, wer jeden
Tag sagen kann:
Heute habe
ich gelebt.

. Horaz

Das wahre Glück
besteht nicht
in dem, was
man empfängt,
sondern in dem,
was man gibt.

Johannes Chrysostomus

Lachen und Lächeln
sind Tor und Pforte,
durch die viel Gutes
in den Menschen
hineinhuschen
kann.

Christian Morgenstern

Öffne dein Herz
für deine Mit-
menschen, so wie
es die Engel tun,
dann wirst
du mit Wärme
empfangen.

Ella Dumont

*S*ie kommen noch immer durch den aufgebrochenen Himmel, die friedlichen Schwingen ausgebreitet, und ihre himmlische Musik schwebt über der ganzen müden Welt…

William Shakespeare

Nicht so,
wie sie sind,
erscheinen sie,
sondern so,
wie die Sehenden
sie sehen können.

Johannes Damascenus

*E*ntdecke die
Schönheit in
deinem Leben.
Ein Engel hat sie
dir geschenkt.

Mathilde von der Au

In sich ruhen
und dankbar sein
für jeden Tag –
das ist die
wahre Lust
am Leben.

Friedrich Lengries

$\mathcal{D}$as wahre Glück ist:
Gutes tun.

Sokrates

Der Reisende ins
Innere findet alles,
was er sucht,
in sich selbst.
Das ist die höchste
Form des Reisens.

Laotse

*G*estalte dir
das Leben
angenehm,
indem du
alle Sorge
darum aufgibst.

Seneca

*G*enieße die Freiheit
und gib deiner
Seele Raum
zum Atmen.

Viktor Levin

*A*lles, was in
seiner Art gut ist,
ist liebenswürdig.

Dante Alighieri

Zu lieben, um
geliebt zu werden,
ist menschlich,
aber zu lieben
nur um der Liebe
willen ist
engelsgleich.

Alphonse de Lamartine

Lachen erleichtert
dein Herz,
lässt du es zu,
strahlst du
wunderbare
Freude aus.

Rita Tomasetti

Das Leben ist
eine Gabe, die viel
Schönes für einen
selbst, und wenn
man es nur will,
viel Nützliches für
andere enthält.

Wilhelm von Humboldt

Gib nur der Freude,
der göttlichen,
Raum, dann erfüllt
sich der schöne,
der ewige Traum,
und der Himmel
kommt wieder
auf Erden.

Otto Rupertus

*W*enn uns ein Engel
einmal aus
seiner Philosophie
erzählte, ich
glaube, es müssten
wohl manche Sätze
klingen wie
zwei mal zwei
ist dreizehn.

Georg Christoph Lichtenberg

Engels-
botschaften
der
Gelassenheit

Gelassenheit

*E*in Mensch
kann niemals
einem Engel
gleichen.
Doch wir sollten
wenigstens
versuchen,
ihnen gleich
zu werden.

Mathilde von der Au

$\mathcal{W}$enn uns
Verzweiflung
überkommt,
liegt es gewöhnlich
daran, dass
wir zu viel an
die Vergangenheit
und die Zukunft
denken.

Jakob Neuried

*A*hme den Gang
   der Natur nach –
   ihr Geheimnis
   ist Geduld!

Ralph Waldo Emerson

*S*ei achtsam auf
den zuweilen
steinigen Wegen
deines Lebens.

Jakob Neuried

Der reiche Geist
legt sich in die
Sonne und schläft
und fühlt sich eins
mit seiner Natur..

Ralph Waldo Emerson

*G*laube mir,
es kommt im
Leben auf
Kleinigkeiten an.

Johann Heinrich Pestalozzi

Deine Seele
hat Flügel –
nutze sie, um
deine Grenzen
zu erforschen.

Viktor Levin

*B*lick in dein Inneres!
Da drinnen ist eine
Quelle des Guten,
die niemals aufhört
zu sprudeln,
wenn du nicht
aufhörst
nachzugraben.

Mark Aurel

*U*nser großes
und herrliches
Meisterwerk ist:
richtig leben.

Michel de Montaigne

Dankbarkeit ist
der Himmel selber,
und es könnte kein
Himmel sein, gäbe
es die Dankbarkeit
nicht.

William Blake

Nicht was wir
erleben, sondern
wie wir empfinden,
was wir erleben,
macht unser
Schicksal aus.

Marie von Ebner-Eschenbach

*W*ir werden die Welt
verstehen,
wenn wir uns
selbst verstehen.

Novalis

Nimm jeden Tag
als ein Leben
für sich.

Seneca

*W*er Engel sucht
in dieses Lebens
Gründen,
der findet nie,
was ihm genügt.
Wer Menschen
sucht, der wird
den Engel finden,
der sich an seine
Seele schmiegt.

Christoph August Tiedge

*E*s wiederholt sich
alles Bedeutende
im großen
Weltgange,
der Achtsame
bemerkt es überall.

Johann Wolfgang von Goethe

Den himmlischen
Engeln, die Gott
in Demut besitzen
und ihm in
Heiligkeit dienen,
untersteht die
ganze stoffreiche
Natur und alles
Geistesleben.

Hl. Augustinus

*G*ottes Engel
kommen im
Verborgenen
zu uns.

James Russel Lowell

*L*ass uns beide
uns bemühen,
so ruhig und
so heiter unter
der Gewitterwolke
zu stehen, als
es nur immer
möglich ist.

Heinrich von Kleist

*E*s gibt nur einen
Weg zum Glück,
und der heißt,
aufzuhören mit
der Sorge um Dinge,
die jenseits der
Grenzen unseres
Einflussvermögens
liegen.

Epiktet

*W*ie dem Geist
nichts zu groß ist,
so ist der Güte
nichts zu klein.

Jean Paul

*A*ufmerksamkeit
und Liebe
bedingen einander
wechselseitig.

Hugo von Hofmannsthal

*B*esser Wenigeres
in Frieden und
nützlicher Tätigkeit,
als vielleicht ein
Wohlleben, aber
mit Gefahr und auf
unrechtem Weg.

Aesop

*P*ass dich
dem Schritt
der Natur an:
Ihr Geheimnis
heißt Geduld.

Ralph Waldo Emerson

*Immer siegt, wer
Milde walten lässt.*

Publius Syrus

*W*ir sollten durch
unser Leben die
Erde zum Himmel
machen.

Johannes Chrysostomus

Der Mensch
besitzt nichts
Edleres und
Kostbareres
als die Zeit.

Ludwig van Beethoven

*I*m Reich der
Wirklichkeit
ist man nie
so glücklich
wie im Reich
der Gedanken.

Arthur Schopenhauer

*W*ohin du auch gehst,
geh mit deinem
ganzen Herzen.

Konfuzius

Es ist eine
Verwandschaft
zwischen den
glücklichen
Gedanken und
den Gaben des
Augenblicks: Beide
fallen vom Himmel.

Friedrich Schiller

Langsam, Schritt
für Schritt, die
Treppe weiter
hinauf. Wahrlich,
die Welt bietet nicht
solch ein Übermaß
von Genüssen,
dass man sie
in Sprüngen
überfliegen dürfte.

Wilhelm Raabe

*N*ichts versüßt
unser Dasein mehr
als eine gewisse
Seelenruhe,
welche die Sorgen
und trüben
Vorstellungen,
die den Geist
beunruhigen,
verscheucht.

Friedrich der Große

Dein Vergangenes
ist ein Traum und
dein Künftiges ist
ein Wind. Hasche
den Augenblick,
der ist zwischen
den beiden,
die nicht sind.

Friedrich Rückert

*W*ir sollten alles
gleichermaßen
vorsichtig wie
auch zuversichtlich
angehen.

Epiktet

$\mathcal{D}$ie Unendlichkeit
und das Ewige
ist das einzige
Gewisse.

Sören Kierkegaard

Der den Himmel nicht in sich selbst trägt, sucht ihn vergebens im ganzen Weltall.

Otto Ludwig

*S*terne sind die
Vergissmeinnicht
der Engel.

Henry Wadsworth Longfellow

Wo Engel hausen,
da ist der Himmel,
und sei's auch
mitten im
Weltgetümmel.

Hafis

*E*s ist nicht bekannt,
wo Engel verweilen –
ob in der Luft,
im leeren Raum
oder auf den
Planeten. Gott hat
nicht gewollt, dass
wir davon Kenntnis
erhalten.

Voltaire

Durch seinen
weiten,
durchsichtigen
Flügel schienen
die Sterne des
Himmels und
sein langer Speer
war gekrönt
von Mondstrahlen.

Amelia Opie

© 2006 arsEdition GmbH,
München
Alle Rechte vorbehalten
Gestaltung: Eva Schindler,
Ebersberg
ISBN-13: 978-3-7607-2384-6
ISBN-10: 3-7607-2384-5
Printed by Tien Wah Press

www.arsedition.de